목발에 대한 생각

b판시선 037

변경섭 시집

목발에 대한 생각

도서출판 b

| 시인의 말 |

달이 떠오르면 나무는 눕는다.
나도 가만히 누워 있으면 나무가 내게로 돌아눕는다.

나무와 풀과 새와 친구가 된 지도 여러 해,
그러함에도 고뇌하고 외로워하고 슬픔을 달고 사는 것을 보면
죽을 때까지도 그 병은 고치지 못할 것 같다.

간절히 원하고 진심으로 공감하면 자세히 보인다.
나무와 풀과 새가 내 마음속으로 들어온다.
하물며 사람이야 말해 무엇할까?

달이 떠오르면 나도 가만히 눕는다.
나무에게 외로움을 말한다.
나무가 너무 외로워하지 말라고 바람으로 전한다.

이번 시집에는 이런 말 없는 대화가 가슴을 적셨다.

2020년 5월

대미산 자작자무골 산방에서

변경섭

| 차 례 |

제2부

제3부

제4부

제1부

더부살이

저기 하늘 향해 벋은 고목 위에 직박구리 한 마리 앉았다 고개를 쫑긋거리며 사방을 둘러보다가 어쩐 일인지 그놈이 내 곁에 날아와 마루 난간에서 눈을 마주쳤다 꽁지깃 위아래로 흔들며 내게 훈계하는 것 같고, 이방인 바라보듯 고개 이리저리 돌려 살펴보다가

훌쩍, 날아 가버린다
흔적 없다

내 마음의 거울에 쓸쓸한 여운만

산속에 들어 빌려 살다가 남긴 거 없이 떠날 것을,
이제 그만 다 내려놓지 그러니
어차피 더부살이 인생인 것을

직박구리가 내게 말하고 떠났다

옛날얘기

어릴 적 산골 고향에 살 때 얘기다

마을 제일 낮은 자리에 우물이 있었어
사람들은 그 물로 먹고 살았지

누이나 어미들은
아침마다 물동이 이고 와서는
물 깊은 곳을 한참 들여다보다가
아무 일 없다는 듯이 두레박을 내려
물동이에 맑은 물 퍼 올렸지

똬리 끈 질끈 물어 물동이 머리에 이고
산길을 거슬러 집으로 걸었지
찰랑대는 물 한 방울이라도 흘리지 않으려
마치 정진하는 여승처럼 꼿꼿이 서서
아무 말 없이 걷기를 새벽마다 했지

나는 궁금했어

우물에 무엇이 있기에 그리 들여다볼까?

아무도 없는 어느 날 나는 우물 안을 들여다보았어
잔잔한 물이 보였지
이윽고 내 얼굴이 잔잔히 물결치고
얼굴 뒤에 맑은 하늘이 우물 속에 비쳤어
하늘을 보고 있었구나!
마음속 들여다보는 하늘

이제 우물은 없어져
아무도 하늘을 바라보고 살지 않는다

쇠딱따구리

겨울 재촉하는 비 오는 날 오후
창문 열고 비 맞는 자작나무숲을 보고 있는데
어디선가 따닥따닥 경쾌하게 문 두드리는 소리

두리번거리며 마당을 훑어보고
현관문도 살펴보았으나
어떤 인기척도 보이지 않았다

계속해서 들리는 간헐적인 소리
눈 부릅뜨고 멀리 눈 돌리니
치솟은 고목 가지 끝에 쇠딱따구리 매달려
날카로운 혀와 작은 머리로 연신
하늘을 두드리고 있었다

찬비는 딱따구리의 깃털을 적시고 있어도
하늘의 문 두드리는 부단한 노력
내 대신 쪼고 또 쪼는
생의 울림으로 들렸다

지칠 때 한 번쯤 생각해보란 듯이

하늘

산굽이 돌아
까마득한 곳 어디 하늘 아래
하나의 점도 되지 않는 사람이
꼼지락거리다가 파란 하늘을 바라본다

이 땅에 사는 수고로움을 내 알 바 아니라고
하늘은 그저 무심할 뿐

하늘을 쳐다보다가 문득
물에 물고기가 살 듯
파란 하늘에도 물고기가 살까?
하늘 속 헤엄치는
물고기 잡으러 가면 어떨까?
엉뚱한 상상을 하는데
나무 우듬지에 앉아 있던 까마귀 울며
하늘로 날아간다

멀어져가는 까마귀 울음소리에 퍼뜩 깨어

나는 하늘 아래
꼼지락거리는 하나의 점으로 돌아갔다

상수리 툭, 하고 떨어지면

상수리나무 아래 가만히 앉아 있다가
무언가 툭, 풀섶을 울리는 소리

가을바람이 솜털처럼 살랑거리는데
또다시 툭, 풀섶을 울리는 소리
상수리가 무르익어 나뭇잎 흔드는 바람에도
툭, 하고 풀섶에 떨어진다

하늘은 만지면 금방이라도 손가락 물들듯 파랗고
상수리나무 잎은 아직도 푸른데
가을이 오고 있다고 툭, 하고
풀섶을 건드리며 일러준다

상수리나무 아래 가만히 앉아
상수리 툭, 풀섶을 울리는 소리에
나도 그 속에 하나임을
문득 깨닫는다

그 사이 우주는 순간 운행을 멈췄다

사랑과 삶

— 구름송편버섯을 보다가

나무가 죽으면
구름송편버섯은 나무에 붙어
죽은 나무의 영양분을 먹고
나무의 옛 추억을 더듬어 기억하듯
나무에 화려한 구름꽃 피운다

구름송편버섯은 나무가 썩어 없어질 때까지
젖을 빨아 그늘진 숲속에 잠시 빛이 되고
죽은 나무는 봄날의 희망에 기대는 것들을 위해
마지막 남은 것조차 땅에 돌려준다

사랑은 일정한 방향으로 흐르는 에너지 같은 것
땅으로 돌아가는 생명의 순환처럼
신뢰하는 마음이 죽음을 향하여 온전히 밀고나가는 힘
삶은 죽음을 예정하고 사랑하며 살아가라는
마음속에 새겨진 DNA가 발현되는 것
그늘진 숲속의 사랑도 사람과 다르지 않다

마당에 풀을 뽑다가

풀 뽑고
발길 돌아섰다가
돌아보면 어느새 푸른 기운이 다시 돌아
괭이밥, 자귀풀, 여뀌, 방동사니, 개망초들을
또 뽑고 있다

아무리 뽑아도 또 돋아나는 것이 풀
그 풀들이 마당의 주인이고
풀들이 결국 살아남는다는 것을 안다
그 풀들에게 굴복한다는 것을 알면서도
미련한 짓을 계속하는 인간이 나다

마당에 역사의 이치가 있다

새 소리 들으며

봄 여름 가을 겨울 새 소리
들리는 음색이 다르고

아침, 저녁으로 우는 새 소리
웃다가 울다가 노래하기도 하고

숲속에 숨어서 노는 새 소리
모여서 나를 보며 조롱하는 듯하고

나무 우듬지 높이 앉아 호령하는 새 소리
땅 내려다보며 나를 보고 세상 좁다 가르치려 하네

새 소리는 이제나저제나 변함없고
숲속의 새나 하늘을 나는 새나 나를 거들떠보지도 않을 테지만

울다가 노래한다고 들리며
새가 나를 훔쳐본다고 느끼는 것은

새 소리가 아니라

내 마음이 그리하는 것이네

돌

길 가다
둥글고 의젓한 돌
앉아 있기에 욕심부려
모셔왔다

마당 옆
물박달나무 아래 의연히 앉아
그 자리에서도 언제나
무심하다

비 맞고
눈보라 쳐도
아무 말 없이 몸에서 푸른 이끼
돋아난다

말 없는 돌이
말 많은 나의 허기를
채운다

침묵이 밥일 때가 있다

개미와 진딧물과 나

원추리꽃에만 유독 진딧물이 꼬인다
다른 꽃나무, 풀들도 많은데
사랑에 집착하는 사내놈처럼 여름내 피는
원추리꽃 가슴팍에만 파고든다

나는 아름다운 꽃을 오래도록 보고자
보는 대로 진딧물을 털어내고 잡았으나
내가 잠시 한눈파는 사이
원추리꽃에는 그 징그러운 사랑꾼 놈들이
덕지덕지 엉겨 붙었다

그런데 그 놈들만이 아니었다
가만히 들여다보니 수십 마리 개미가
푸르딩딩한 원추리 대공을 타고
오르락내리락 바쁜 행세를 하고 있다
진딧물을 잡아먹으려나 보다 하고 지켜보았으나
내 기대를 허물어뜨리는 광경
개미가 다가오면 진딧물은 꽁무니 내밀어

단물을 내어주고
진딧물은 마음 놓고 원추리의 진을 빤다

아, 내 어찌 저 사이에 끼어들어
그들의 질서를 깨뜨리려 했던지!
나는 어차피 이곳에 끼어들어 온 이방인
꽃 조금 덜 보면 되는 것을
그동안 괜한 짓을 했다 싶었다
서로가 방관자처럼 지내는 것이
자연의 질서를 존중할 때가 있다

강여울에서

강여울에서

물 흐르는 소리 듣는다

또르륵 뚜르륵 물 굴러가는 소리

내려가며 얕은 수심 강바닥을 있는 힘껏 긁고

바위, 자갈 이리저리 부딪고 굴리고

웅성거리며 좁은 광장을 빠져나가는 군중들처럼

질서 있는 아우성이 좁은 여울 강물의 존재감이다

저 아래 깊고 넓은 강물을

소리 없이 유장하게 흘러간다며 찬미하지만

여울을 지나는 시끌벅적한 가벼움 없이

어찌 저 아래 고요한 강물이 있을 것이며,

천 개 만 개의 크고 작은 물소리

서로서로 이끌고 흘러 큰 강물 이루지 아니한가!

강여울의 물소리는 가벼운 것이 아니다

강여울의 물소리는 낮으면서 끈질기다

가만히 맑은 눈 들여다보듯 소리 들어보니

내 청춘의 심장 소리 듣는 듯하고

까불거리는 어린 조카의 목소리이고

광장에 모인 사람들이 외치는 함성이고
흘러가는 다음 강물에 전하는 활기찬 에너지다
강여울의 물소리는 꿈을 꾸는 것이다

뱀

산속에 사니 가끔 뱀을 본다

사람들은 가끔 뱀을 화제에 올려
뱀을 만난 얘기를 한다

뱀은 사람과 아무런 연이 없음에도
무작정 징그럽다는 얘기
적의를 보이며 잡아 죽였다는 얘기
종국에는 무조건 없애야 한다는 얘기

그러는 사람들의 얼굴 표정은
하나같이
확신에 차 있다

모든 인간에 내재돼 있는 무서운 관념
세상은 그런 이들에 의해 배제되고
타자는 파괴되며 죽게 된다
자기의 근원인 땅조차도

인간도 뱀과 다를 것 없는 생명
시작은 여기서부터여야 하거늘

봄밤에

밤하늘에서
별빛이
물고기 물살을 가르듯
어둠을 갈라놓으며
수직으로
땅에 떨어지네

별빛 받아먹고
만물의 생명이
눈을 뜰 채비하고
뿌리박을 자리
머지않아 축축해질 대지
문을 두드려
지상의 상쾌한 봄 내음 맡으니
덩달아 내 가슴도
두근거리네

어디 먼 알 수 없는 별에서

한 5억 년쯤 전 출발하여
지구에 도달한 별빛
마치 가느다란 끈이 이어진 것 같은
신기한 인연

봄밤에
자작나무 아래
푸르러가는 이끼의 생이
다시 시작되는 것

봄밤에
이끼 낀 대지 위를
힘겹게 기어가는 달팽이처럼
고단하고 슬픈 내 생과
별빛이 만나는 것

숲을 보다가

오리나무, 가래나무, 물가 버드나무,
야광나무, 물박달나무는 하늘과 가깝고

딱총나무, 고로쇠나무, 졸참나무, 붉나무, 층층나무, 고광나무, 싸리나무,
초피나무, 두릅나무, 산딸기는 키 좀 자라자고 악악대고

오미자, 칡, 다래 덩굴은 이 나무들 타고 올라 삶을 옥죄고

물봉선화, 배초향, 개미취, 졸방제비꽃, 구릿대, 쥐오줌풀, 초롱꽃,
미나리냉이, 지칭개, 산비장이, 엉겅퀴는 햇볕 조금만 나눠달라 조르고

고비, 관중, 고사리, 우산이끼 같은 것들은 세상 단념한 듯 그늘 속에 산다

자연은 욕심이 없어 족함을 안다고

각자 자리에서 햇볕바라기하며 조화롭다

나도 족함을 알고 숲의 일원처럼 살아야 하거늘

예의

아침 산책길에
길옆에 서 있는 가래나무에서
가래가 툭, 툭, 떨어진다

풀숲에 열매 떨어지는 소리
떨어진 곳 가을 깊어진 자리
잠시 발걸음 멈추고
소리의 여운 만져본다

가을 하늘 더욱 높아지면
멍들어 깊어진 상처만큼
열매가 익고
떨어져
생명의 순리에 입 맞추니

풀숲에 가래를 줍기 위하여
나는 깊이 허리 숙인다
가을, 성숙의 섭리에

예의를 다한다

제2부

몸으로 쓰는 시

소아마비로
부실한 다리나마
몸을 움직여
거름 주고
씨를 뿌리고
풀이라도 뽑고
채소 목마를 때 물도 주고
고추, 오이, 토마토 조금이라도 수확할 때
언뜻 생각이 나
몸으로 쓰는 시가
훨씬 더 건강하다

어느 봄날 내가

어느 봄날

추억처럼 쌓였던 눈 녹고

양지바른 뜨락 한편에

수선화 새싹이 돋아

지금

곤고한 세월 돌아온 내가

언 땅 뚫고나온 너와 마주보고

살아갈 날 서로 위로한다

그래, 괜찮아

살자

하늘의 매

하늘 아래 땅바닥에 앉아 장작을 패고 있는데
눈이 쏟아질 것 같은 하늘에 매 한 마리 유유히 난다

날고 있는 매를 물끄러미 쳐다보다
문득 매가 되고 싶었다

매는 하늘 높이 날아 넓은 세상 내려다보니
그 눈 얼마나 날카롭고, 그 마음 얼마나 너그러울까!

멀리 떨어져 세상을 보고 싶어
산속에 들어와 살지만

어쩌면 세상에 뛰쳐나가 매와 같이 세상을 보고
내 마음도 맘껏 풀어놓고 싶은지 모른다

풀잎 이슬

여름날 아침 댓바람에 숲에 가니
풀잎에 맺힌 아이 눈동자 같은 이슬방울

가만히 들여다보니 이슬방울 안에
저 너머 무심한 나무와 풀이 보이고

또 가만히 들여다보니 이슬방울 안에
이쪽에 서 있는 풍상 겪은 내 모습 서려 있네

맑은 이슬 안에 한 점 근심이 없듯
한참을 또 들여다보니 내 얼굴의 근심도 사라지네

산맥을 바라보며

계촌리 삼형제길 높은 언덕바지에 올라서서 멀리 유장한 강물처럼 흐르는 백덕산 산굽이 바라본다 여기에 서면 매번 가슴이 뛴다 멀리 백덕산 줄기가 옛 고구려의 풀 덮인 성벽이 연이어 있는 것 같은 웅혼함이 있기 때문이다

나는 여태껏 산을 바라보기만 한다 인생에서 산을 오른 기억은 대학시절 설악산에 갔을 때뿐이다 오르지 않으려는 나를 친구들이 등에 업고 때로는 억지로 걸어 천신만고 양폭까지 올랐지만, 다시는 이렇게 친구 등에 업혀 산을 오르는 일은 없을 것이라 다짐했다 남에게 폐만 끼친다고 생각했다

더욱이 몇 해 전부터 목발을 짚기 시작하니 자유롭지 못한 몸가짐이 한층 더 자심하다 산을 오르는 것은 언감생심 마음도 먹지 못한다 그래서 산은 그냥 바라보기만 한다 남들은 산을 오르면서 겸손을 배운다하고, 등정하고 지르는 호연지기로 산을 말하지만, 산을 오르지 못하고 바라보기만 하는 내게는 그조차도 사치스러운 말의 성찬이다 아니 내 자신에 대한 책망이다

나는 산의 속살을 보고 싶었다 나무와 풀을 보고 손에 느끼는 살가운 감촉을 느끼고 싶었다 풀과 나뭇잎에 붙은

생명들을 보고 싶었다 가지에 앉은 이름 모를 새들과 함께 노래 부르다 저녁 해를 바라보며 하산하고 싶었다 산을 등정하는 것은 애초 나의 머릿속에 있지 않다 산을 보며 겸손함을 느끼는 것도 내겐 사치스러운 감정이다

오늘도 멀리 서서 산을 바라본다 숲속의 은밀한 속살의 밀어들 상상만 할 뿐, 이제 내가 가진 욕망 조용히 접고 산이 변화하는 풍경 바라본다 내게 부여된 세월도 저 산맥처럼 조용히 흘러 어디론가 숨어버릴 것이다 지는 해는 산을 넘어 사라진다 혹여 해가 다시 떠올 때 나 또한 다시 태어난다면 그때야 내가 온전히 산을 오를지 모르겠다 부질없는 희망이다

토마토 순지르기

토마토 키우다보면 그 옛날 아이 쑥쑥 낳아 골목길 쏟아져 나오는 것처럼 잎자루 사이사이 쑥쑥 순이 삐져나온다

처음엔 저 순이 모두 자라면 토마토 많이 열려 더 많이 따먹겠지, 생각하고 내버려두었는데 이웃집 아주머니 얼치기 농사꾼이 제대로 농사나 짓고 있나 구경 왔다가 눈이 휘둥그레 진다 아니, 순지르기 안 해주면 토마토 잘아서 못써요! 책망하듯 말하곤 말릴 새도 없이 다 자란 순 툭툭, 분질러버린다

아깝다는 말도 못 하고 멍하니 쳐다보니 해맑은 미소로만 답하고 당연히 해야 할 일 하고 가는 사람처럼 당당하게 돌아가던 뒷모습 물끄러미 바라보기만 했다

그런 일 있은 후 나도 습관처럼 순지르고 있다 인간은 왜 자연스러움에 개입하여 인간의 의도만 살아서 세상을 재단하는지? 생각해볼 겨를도 없이 토마토 순이 쑥쑥 자라고 있다

목발에 대한 생각

나는 소아마비로
그래도 부실한 다리로나마
세상의 땅을 딛고
명주실 같은 가느다란 길
헤치고 버텨 걸어왔는데

어느 날인가 하필
그 부실한 다리를 다쳐
깁스 풀고 나니 걸을 수 없어
목발을 짚기 시작했다

목발은
걸을 수 없는 다리
지탱해주는 고마운 존재지만
한편 무엇보다도 불편한 것이라서
언제든 팽개쳐버리고
절룩이며 걷는다 해도
두 다리로 걷고 싶었다

그러나 마음뿐
한번 꺾인 의지
다시 곧게 펴지 못하고
여전히 고목에 붙은 매미처럼
그에 의지하고 있으니

목발은 내게
애증이 교차하는 불편함의 대상
내 자유를 억압하는 물건이지만
또 어쩔 수 없이 의지하는 익숙한 존재

내 목발은 어쩌면
평생을 지탱해온 불편한 내 두 다리
인생을 이끌어온 볼품없는 내 몸처럼
보기 싫지만 보듬을 수밖에 없는 숙명인 채
버리지 못하고 안고 가야만 하는 실재實在

그래서 목발은

사람이면 인생길 걸으면서 겪게 될 고통,

살아가는 존재에게 필연인

고뇌 같은 것이다

마지막이라는 말

뜰 앞에 커다란 갈참나무

내리쏘는 햇살에 푸른 방패 펼쳐
기세등등하게 맞서더니

그깟 가을비에 시르죽어
떨어지는 낙엽에 빗물이 흘러내려
마치 핏빛처럼 땅바닥을 적신다

그래도 다 보내기 아쉬운가
마지막 잎 달고
끝끝내 망설이고 있다

마지막이라는 말
어느 겨울 새벽 마당에 눈 쓸다 돌아가신 아버지
마지막이 더는 말을 나눌 수 없다는 의미란 것을
그때 알았다

나무 아래 무수히 포개 앉은 갈참나무 잎들
마지막 잎새가 내려앉길 기다린다

마지막은 끝이 아니라
이생에서 못다 한 말을 다른 세상에서 만나
말할 수 있기를 기다리는 순간
새로운 시작일지 모른다

씨앗에 대하여

텃밭에 토마토를 심었는데
어느 날 비바람 불어
붉게 익은 토마토가 떨어져
안타깝게도 썩어가고 있었다

비바람 불기 전에 부지런 떨어
열매 따둘 것을 후회하다가
언뜻 모종 사다 심지도 않았는데
토마토 싹 나온 것이 기억나
이내 저것들이 썩어 씨앗만 남아
다시 싹을 틔울 것이니
아쉬워할 것은 아니었다
우리 집 안팎 여기저기에는 이렇게
손이 가지 않아도
분꽃, 초롱꽃, 백일홍, 구절초 같은 것들이
씨앗을 떨어뜨려 이듬해 봄이면
그 몇 배의 자손을 번성시킨다

땅에 떨어진 토마토 바라보다 생각한다
여태껏 혼자 살아
천륜을 저버리고
부모에게도 불효하여
내 씨앗 한 톨 남기지 못했으니
저기 땅 위의 토마토, 분꽃씨만도 못한 놈이라
심히 자책하다가
마음 이내 고쳐먹는다

내 비록 육신의 씨앗 남기지 못하더라도
사람의 씨앗은 남기고 죽지 않을까?
내게 씨앗은 아마도 시이며 글발일지니
세상 사람들에게 내 정신의 향기 흩어져
썩은 냄새 풍기지만 않는다면
내 죽어 미약한 향기 남아서
그 향기 찾는 사람 다만 몇 명이라도 있다면
내 씨앗은 아마도 그것이리라 위로한다

노린재 한 마리

창밖에는 차가운 비 오고
겨울이 온다고 찬바람이 문을 두드리는데
유리 창문에 노린재 한 마리 붙어
엉금엉금 기어다닌다
안에서 물끄러미 쳐다보다
애처로운 눈빛과 마주쳤다
안에 있는 당신도 추워보인다
그렇게 말하는 것 같다
나는 창문을 열고 그를 맞았다
너에게서 풍기는 역한 냄새
나의 외로움에서 풍기는 냄새만큼이나 독하지
세상에 나와 사는 것이 다 그런 것
겨울이 다가오는 턱밑에서
세상의 풍진 다 묻히고 찾아와
냄새를 풍기는 노린재
어쩌면 나도 노린재와 같다

갈참나무 아래에서

우리 집 갈참나무 아래 앉아서 생각한다

봄이면 새잎 돋아 탄생의 인연 생각하고
여름이면 더위에 지친 내가 그늘에 찾아들어 쉬면서
세상의 은혜 받아 살아가는 삶에 감사하고
가을이면 도토리 툭, 하고 떨어지는 소리에 새삼 놀라
우주의 섭리에 순응해야 하는 시간이 다가옴을 알리니
더욱 겸손해지고
겨울 되니 갈참나무 가지에 조화 같은 눈꽃이 피어
죽어서 다시 봄을 기다리는 삶의 윤회를 축복하네

갈참나무 아래 쉬어가는 인생아!

또 눈이 내린다

해마다 또 그날이 되면 눈이 내린다
눈이 내리면 그날이 된다
눈발이 날리는 것을 우두커니 바라보며 걱정하는 날이다

산 아래 내려갈 일 없으면서도
날 찾아올 사람 없다는 것을 알면서도
눈에 길이 막히면 어떻게 하지 하며
청춘의 어느 때 어지러운 세상 걱정한다고
마음처럼 변하지 않음을 안타까워만 하며
겉치레 같은 생을 살며 세상을 바라보기만 했던 눈으로
오늘도 또 걱정만 하며
산길에 눈이 쌓여가는 것을 바라본다

눈이 쌓여가는 것을 보면서 이제 시작일 겨울
얼마나 눈이 내려 눈길을 치울 마을 사람들이 수고로울 것이며
그들은 내가 돕지 못해도 내색 하나 없지만

또 얼마나 긴 겨울 동안 미안해야 할지 불편한 마음 걱정한다

내리는 눈송이는 내 눈 속의 슬픔 찌르는 티끌이 되고
나이 먹어 다가오던 사랑은 너무나 신파 같아
몰래 흐르는 눈물 감추려고 내리는 눈에 푸념처럼 타박하니
내리는 눈송이 멍들어 사랑도 멍들고
눈 녹듯 그 사랑마저 사라질까 걱정한다

눈은 무거운 마음의 두께처럼 자작나무 가지에 쌓이고
그 무게에 짓눌린 밤이 길고 길게 늘어져
나는 눈 오는 밤 왜 잠이 오지 않을까 걱정하니
영원히 새벽이 오지 않을까 조바심으로 밤 지샌다

눈 오는 밤 사슬처럼 이어지는 번뇌의 꼬리
어디선가 툭, 하고 끊어버리면 될 것을
그러면 나는 평안하게 잠이 올까?
또 눈이 내리고 끊어내지 못하는 마음속의 불

안개가 마을을 덮었을 때

겨울비 내리고
아랫마을과 계곡, 뚜렷하던 산 능선까지
안개가 차일을 두른 듯 덮어
아무것도 보이지 않는다

내 눈에 보이지 않으니
저곳에 사는 사람들
나무들, 산속의 짐승들이
무얼 하고 있을지 제멋대로
생각의 붓이 날아다니며 그림 그린다
그러나 어느 순간 안개 걷히면
내 생각은 거기서 멈춰버린다

보이는 것이 명료하지 않을 때
불안한 삶을 살 때
경계에서 어느 한 곳으로 정착하지 못하고 떠돌 때
끊임없이 사람은 움직이고 생각한다

안개가 마을을 덮었을 때
안개가 무럭무럭 피어오르듯이
시인의 촉각도 움직여
움직이는 삶들을 따라가 더듬어
시를 쓰기 시작한다

매일매일이 다른 삶이기를 바라며

여름날 하늘에 구름은
매 순간 태어났다
살고
사라진다

산속에 나무들이 일체 푸르다가 가을 오면
시시각각 얼굴 색깔 달리하여
피에로 얼굴처럼 산에 분장을 하고
무대에 나선다

숲속의 풀들은
줄줄이 엎드려 조상弔喪하듯
땅 위에 가지런히 눕고
나뭇잎들도 곧 수많은 나비가
날개에 힘을 잃어 떨어지듯
땅 위에 죽은 나비가
될 것이다

내 눈에 보이는
저들 삶이 그러하듯
매일매일의 내 삶도 다른 삶이기를 바라며
삶과 죽음이 다르지 않아 곧 침묵일지니
그리하면 저들처럼 나도 언젠가
조용히 사라질 것이다

꽃과 뱀

앞마당에 꽃씨 날아와 싹 터
제멋대로 자리 잡아 가기에
캐 내다버리기 아까워
그놈들 캐다 마을 길 옆 풀섶에 옮겨 심는데

풀섶 사이 호미질하는 순간
똬리 틀고 쉬고 있던 뱀 한 마리
소스라치게 놀라 도망가고
나도 꽃을 심던 마음 일순 사라지며
뒤로 나자빠져
등골 서늘해지니

꽃과 뱀이
나더러 괜한 짓 한다고 핀잔을 주는,
그냥 있는 그대로 놓아두라는

겨울 산길

눈이 내린다

길은 있으나

아무도 올라오는 기미가 없다

나도 아무런 기척 없이 내려다보고만 있다

멀리 내다보며

생은 혼자 견디어야 하는 것이라고

발 끊긴 산길이

점잖게 타이른다

눈이 쌓인다

제3부

봄눈

녹는다
봄눈이 만년을 쌓아왔던 사랑을 소리 없이 토해내듯

흐른다
봄눈이 내 가슴속 말할 수 없었던 응어리 녹듯 눈물 되어

떠난다
봄눈이 등을 보이고 떠나는 사람처럼 말없이

슬프다
봄눈이 녹아 없어지듯 사랑이 산 고개 넘어 걸어가니

아프다
봄눈 보내고 또 가슴속에 무거운 쇳덩이 하나 자라고 있으니

대칭 또는 균형에 대하여

꽃씨가 땅에 떨어져
싹이 틀 때면
떡잎 두 장부터 나옵니다

자라서 잎이 나올 때도
대개는 마주나지요

저기 날고 있는 새도
태어날 때는
두 개의 날개가 나옵니다

두 날개가 있어야
하늘을 날 수 있으니까요

대칭이 잘 맞을 때
예쁘고
균형이 잘 맞을 때
서로 힘이 되는 것은

자연이 준 커다란 선물입니다

그러나
떡잎 한 장이 병들었거나
날개 한쪽이
썩고 있다면

몸 전체가 살기 위해
한쪽을 도려내고
시간이 그렇게 흘러
다시
건강한 새살이 돋아나올 때까지
기다려야 하지 않을까요

균형은
양쪽이 온전히 건강할 때
몸 전체가 제 기능을 발휘합니다

도리깨질

산골마을 길 어귀 지나가다 늙은 부부가
앞마당에서 도리깨질하는 것을 보았다
콩이나 팥 등 알곡식을 떨 때 도리깨질한다
마당에 떨 것을 널어놓고 도리깨질한다
도리깨는 휘추리를 묶은 도릿깻열을 돌려 쳐 곡식을 떨어낸다
도리깨질은 조금의 요령만 터득하면 누구나 할 수 있다
도리깨질은 혼자 하는 것보다 마주서서 하는 것이 보기 좋다
서로 주거니 받거니 추임새를 넣으며
리듬을 실어야 힘이 들지 않는다
도리깨질은 서로 앞서거니 뒤서거니
호흡을 잘 맞춰야 한다
누구 하나라도 먼저 내려치려거나
조금이라도 늦으면 조화가 깨져 힘이 빠진다
또는 서로 먼저 하려고 하면
도릿깻열끼리 부딪쳐 부러질 수도 있다
그러니 앞마당에서 사이좋은 부부가 주고받는

도리깨질은 아름다운 사랑의 신호이다

도리깨질은 그래서 서로 돕는 마음이 먼저다

도리깨질은 그래서 상대방의 마음을 먼저 읽는다

도리깨질은 그래서 사랑이 무르익는 삶의 자리이다

솟대가 그리워하는 이

나의 산방 앞에 눈비 바람 맞고
서 있는 솟대 하나
나와 함께 살고 있으니

너를 기다리듯 솟대는 눈 오는 날에도
장승처럼 서서 저 아래 산길이 눈 속에 묻혀도
행여 기다리는 임 오시려나 바라보고

너를 그리워하듯 솟대는 여름밤
쑥국새 슬피 우는 소리 지새는 줄 모른 채
밤하늘의 그리운 별 하나 찾아 헤매고

너를 사랑하듯 솟대는 북국의 애인 같은
자작나무 숲에 들어 그렁한 눈물로 감싸 안고
너의 숨소리 가만히 듣네

나도 산방에 홀로이 있어
여름 겨울이 다 지나고 또 봄이 와도 너를 그리니

저 외로운 솟대 같구나!

자작나무골의 봄

엊그제까지도 눈보라치더니
오늘 볕이 좋아 마당에 나가 서성였다

얼었던 땅이 녹기 시작하고
계수나무 가지에는 벌써 깨알처럼 작은 잎눈이 텄다

겨우내 조용하던 자작나무 숲속에서는
새들 쌍쌍이 날아다니며 희롱하고 우지진다

새들은 봄이 왔다고
자작나무골이 시끄럽도록 연애질이 한창인데

수관 타고 물오르는 봄은 왔으나
나는 누구와 더불어 희롱하고 지저귈까?

독백

가을밤 거울에 비친 빛바랜 자화상 같은 황톳빛 달이 뜨고

달은 바람에 날리는 낙엽인 듯 밤바다에 정처 없이 흘러가는데

밤 깊어 풀벌레들은 달 보고 미친 그리움 토해내듯 울고

주인 잃은 개는 달 보고 차가운 밤공기에 공허한 울음 흩어놓으니

오늘은 나도 가을밤 달빛에 기대어 바위의 침묵을 깨려 하네

당신을 사랑함이 고통의 시작일지라도 독백처럼 말하네

가을밤 달이 서산에 기울어 빛을 잃을 때까지 당신을 사랑하겠다고

꽃을 본다는 건

꽃을 본다는 건
꽃 피길 기다릴 줄 안다는 것

꽃을 본다는 건
꽃이 피기까지 생의 고통 이해할 줄 아는 것

꽃을 본다는 건
꽃을 보고 참 아름다움의 의미 되새기는 것

꽃을 본다는 건
꽃이 피어 말 없는 자연 속에 자기를 내어놓는 것

꽃을 본다는 건
꽃이 스스로 자기를 죽여 자연에 향기를 주는 것

꽃을 본다는 건
그리하여 꽃이 주는 선물을 한아름 가슴에 안아

꽃을 본다는 건
꽃의 마음 내 가슴에 와닿아 평화로워지는 것

꽃을 본다는 건
내가 다시 고요해진 마음을 세상에 베푸는 것

박주가리

— 사랑

박주가리는

솜털 같은 하얀 씨를 맺어

겨울바람에 하나씩 하나씩 세상에 날려 보내고

이른 봄 자신은 껍데기만 남아

외롭게 매달려 있다

어머니

산제비나비

나비는 꽃에 앉아 꿀을 빨면서도
목숨 끝 앞둔 절박함처럼 날개를 퍼덕이고

숨이 끊길 것 같은 염천에도 이 꽃 저 꽃 옮겨 다니다
어찌 만나 둘은 하늘 높이 날아올라 희롱하네

초록 물든 땅에 내려와 꿀을 얻고
춤추고 서로 사랑하였으니

펄럭이는 너의 날갯짓이 혹여
검은 상복 옷자락 날리는 비감한 춤이어도

푸른 하늘 보며 이 땅에 살다
이생 다하고 떠나는 날 행복하였네라 기억되리

장마와 나무

하늘이 사내의 가슴팍 같은 검은 구름으로 덮인다
대지에 굵은 땀방울 흐르듯 비가 내린다

비는 대지에 스며들어 체액처럼 끈적이고
나무는 비바람에 푸른 바닷물 일렁이듯 꿈틀거려
대지의 품으로 파고드니
오랜 사랑 품듯 대지는 받아들인다

나무는 대지와 하늘을 이어주는 성스러운 가교
대지는 영원한 시원의 입구
하늘은 이상을 품어주는 또 다른 영원함
고통도 시름도 행복도 다 안아 들이는 궁극의 사랑
나무는 대지에 입 맞추고
세찬 빗줄기에 굵은 몸 젖어드니
검은 하늘에 갈구하듯 눈빛 빛나고
절정을 향한 신음의 순간
눈을 꼬옥 감아버려
세상이 온통 어둠으로 덮였다

잠시 햇살 드는 사이
나무에 앉아 우는 뻐꾸기소리
나무와 대지가 은밀하게 내지르는 숨소리
장맛비 내리는 어둑하고 습한 곳
자작나무숲에는 관능이 숨어 있다

계수나무 붉은 잎

누가 그리 붉더냐?

천둥 비바람에도
살을 태울 듯 위협하는 태양빛에도
두 팔 벌려 하늘을 껴안고

안으로 생긴 멍울은 깊어져
외로움과 인내를 자양분 삼아
속이 꽉 찬 알밤이 벌어지듯
농익어 붉게 피어나니

이제 가야 할 때를 알아
붉은 잎 떨켜, 숙명의 깃발처럼 흔들리고
슬픈 눈의 까마귀는 태양을 향해 날아가네

누구의 시가 그리 붉은 열정인가
누구의 사랑이 그리 뜨거운가
누구의 삶이 붉은 잎처럼 떨어져

깊은 겨울 속으로 사라지는가

가을에는

그대는 새벽에 잠 깨어본 적 있는가?
슬쩍 다가와 찬 손으로 살갗을 만지는
가을바람이 불면서부터일 것이다
아니면 자작나무 잎이 날아와
창문을 두드려서일 것이다
자작나무 잎은 밤새 사람이 그리워
서그럭서그럭 지나온 삶의 이야기 나누고
살아 버티는 것만으로도 충분히 삶을 사랑하는 것이라고
세상 다 살아본 노인처럼 지루하게 내게 말하려고
창문 곁에 다가와 서성거렸을 것이다
새벽에 잠 깨어 잠 못 드는 그리움은
가을만의 고통이다
가을이 전해주는 쓸쓸한 낙엽의 사랑이
창문을 두드리는데 깨어 있지 않는 것은
사랑도 삶도 절박함이 없는 것이다
새벽에 가만히 일어나 밖에 나가볼 것이다
창문을 두드리던 가을의 밀어들과
지나온 발자국의 수만큼이나 무수한

삶의 이야기들을 하나하나 주워 읽어볼 것이다
사랑하기에 이 가을 새벽에 깨어 있는 것이다

풀벌레의 노래

당신이 내 곁을 떠나던 날
옷섶에 묻은 향기와
내 귓가에 서성거리던 당신의 속삭임만이
밤하늘 별처럼 내 마음속에 박혀
반짝이고 있었다오

당신의 숨소리, 마지막 흔적 같은
아스라한 별빛 사라질까 두려워
요절한 가수가 부르는 노래처럼
풀벌레 밤새 울지요

풀벌레 나지막하게 우는 소리
여름날 추억이 잊혀진다고
잎 떨어져 이별 슬픈 가을 온다고
밤 깊은 풀잎 사이로 화사花蛇 한 마리
기어 나오듯 은밀하게 부르는 노래
창 너머 혼자 누워 있는 사내를 대신하여
사랑하오 사랑하오

멀리 계신 그대에게 세레나데 부른다오

풀벌레 조화로운 밤의 연가
그대는 듣고 있소?
초승달이 옛날 마이크처럼 하얗게 떠서
풀벌레의 노래 고스란히 담아
그대 계신 곳까지 전해드리니
그 노래 들었거들랑 들었다고
소식이나 한 줄 보내주오

달빛

보름이 하루하루 다가올수록 달빛의 혀는 점점 더 길어져 창문을 몰래 열고 들어온다 달빛 휘감은 여신이 호기심 어린 시선으로 창문 너머 흘끔거리더니 오늘 밤은 발을 깊숙이 들여놓았다

나는 방안에 숨죽여 누워 있다 마치 조금이라도 몸을 뒤척이면 달빛이 놀라 달아날지 모른다고 생각해서이다 온몸을 달빛의 혀에 맡겨놓는다

차갑기도 하고 뜨겁기도 한 혀는 발끝에서부터 둔부를 거쳐 내 입술까지 집요하게 집착한다 교교한 달빛의 혀에 마음까지도 포로가 되어 결박당한 토르소처럼 꼼짝하지 못한다 녹아내린 마음이 눈물처럼 흘러내려 쓸쓸한 방안은 축축한 습기로 충만해지고 밤은 깊어간다

달빛이 겨우 한 줌 간직한 사랑마저 훔쳐 달아날까 두려워 잠 못 이룬다 첫새벽이 온다 달빛이 창문 너머 발소리도 없이 슬그머니 달아난다 달아나는 그림자도 붙잡지 못하고

몸만 떨었다 아무것도 없다 달빛은 외로움과 친하다

잎이 떨어지는 것

창밖에 갈참나무 노랗고 붉게 물들어
명주실 겨우 날릴 것 같은 바람에도 잎 떨어져
하늘거리며 추락하는 모습

떨어지는 순간
지나온 계절 인내와 열정도
살기 위한 욕망, 사랑, 인연 모두 끊어내니
자신은 아무런 무게를 느끼지 못한다

떨어져 내릴 때 오직
붉게 익었음을 알 뿐

내 인생의 가을도 예외는 아닐 터
그러나 가을잎 수심이 가슴
저 밑바닥에 쌓이는 것은 왜일까?

제4부

버들개지

대화 장날 장 구경 가서
같이 장 구경 나온 사람들 파릇파릇한 표정 훔쳐보고
달래, 냉이 벌써 나왔으니
반가운 향기 유혹 뿌리치지 못해 사들고 오는 길에
눈 녹은 물 흐르는 냇가 옆 여기저기
복슬복슬 강아지들 놀러 나왔네
그리도 유난히 추운 겨울 떨치고 나왔으니
보송한 얼굴 더 반가워 한참이나 그들과 서성이며 놀았네

고광나무꽃

— 무위당 선생을 기리며

우리 집 옆
어둑한 숲속에 하얀 나비 날아들어
고운 세모시 입은 사람 같은
꽃나무가 있다

하얀 꽃은
자기를 드러내지 않는다
숲속의 나무에 가려
자세히 찾아야 보이는 꽃
질그릇같이 소박하게 벙글어 웃는 꽃
밤하늘의 별빛처럼 드러내지 않아도
손만 내밀면 언제나 그곳에 있을 것 같은 이웃처럼
누구나 찾아 만져볼 수 있어 빛나는
고광나무꽃

혹여 앉았던 나비 날아갈까
조심조심 다가간다
아름다운 인생을 산 사람처럼

은은히 풍겨 나오는 향기

머지않아 나비 훌쩍
날아갈 것이지만
나는 서운하지 않다
내 가슴에 첫사랑처럼 머물러 있으므로

머위꽃

머언 먼 계절이 지나고

고향 떠나 강원도 어디 산골에 스며들어

살던 봄비 내리는 날

무심히 지나치던 마른 줄기 무성한 빈집

홀린 듯 들어서니 뒤란에

손길 하나 타지 않은

머위꽃

고운 백발 쪽 찐 머리 같은

머위꽃 피는 계절이면

고향집 뒤란에 우리 어머니

머윗잎 뜯던 뒷모습 생각나네

봄비에 눈물 흘리는 머위꽃

이제는 내가 머위꽃 닮아가네

김칫국에 밥 말아먹고

혼자 살다보니 밥 먹는 게
간편해지는 건 상례라

마침 다 비운 김치통에 김칫국 남아
찬밥을 김칫국에 만다
그래도 반찬은 있어야겠기에
달걀부침 만들어놓고
밥 한술 뜨니
초여름 같은 날씨에
밥 말은 김칫국물 떠먹는 첫맛은
시골처녀 수줍어 소곤소곤 말하듯
숲속 작은 계곡물 흐르는 소리 같고
느닷없이 내리는 소낙비에 개울가
매어놓은 암소가 흠뻑 젖는 느낌이
다음 맛이라

내 어릴 적 반찬 없어
김칫국물 밥 말아먹던 시절이 생각나고

청춘의 배고픔 숨기기 위해 먹던
김칫국물 맛도 생각나지만
어찌된 일인지 고향에 계신
어머니 얼굴이 떠올라

김칫국에 밥 말아먹으면서
고향에 한번 다녀와야겠다 생각한다

눈 맞춤

다람쥐가 봄 맞아

암수 희롱하며

마당 구석 이리저리 뛰어다니다가

가만히 내가 그들 사이에 끼어들어

돌부처처럼 앉아 쳐다보니

이놈 도망가지 않고

고개 갸웃갸웃하다가

내 앞에 다가와 눈을 맞춘다

내가 다람쥐 눈에 익숙해진 사람인가?

아니면 가만히 서 있는 나무로 알았는가?

하여튼 나도 가끔 너희들과 대화하고 싶다

너와 내가 다를 것이 없으니

민들레나물

봄이면 눈에 띌 때마다
텃밭에 나가 민들레를 뜯는다

언젠가 고향집에서 엄마가
나물을 무쳐 내왔는데

쫄깃하고 맛있다며 무슨 나물이냐 물으니
뒤뜰에서 뜯은 민들레란다

그 이후로 봄날 고향에만 가면
엄마는 밥상에 민들레나물 빼놓은 적이 없다

그 맛에 길들어져 귀밑머리 허연 지금도
봄날이면 텃밭 언저리 기웃거려

민들레 뜯어다 살짝 데쳐 된장에만 무쳐내도
엄마 냄새 물씬 나는 민들레나물

뒤뜰, 텃밭 어디에나 나는 흔한 것이지만
봄날마다 차려지는 밥상 위의 귀한 사랑

숲속에 비 온다

여름 한낮 숲속의 나뭇잎에 비 떨어지는 소리는

멀리서 달려오는 군마의 말발굽소리 같기도 하고,
여름에 새근새근 잠자던 아이가 깨어 칭얼대는 소리 같기도 하고,
저 아래 산밭에서 마라소, 안소가 밭갈이할 때 들려오는 거친 숨소리 같기도 하고,
먹을 것 찾아 숲속 헤매던 노루가 이슬 바심하다 이슬방울 걷어차는 소리 같기도 하고,
무엇보다도 숲속의 나뭇잎에 비 떨어지는 소리는
그녀를 처음 만나는 날 자기도 모르게 두방망이질 치는 심장의 설렘 소리 같다

나지막하게 자작자작 들려오는 그 소리에 가슴이 흥건히 젖는다

단풍

산에 단풍이 들면
산봉우리부터 물들기 시작해서
아래로 아래로 내려온다

나무에도 단풍이 들면
우듬지부터 물들기 시작해서
어느 순간 나뭇잎 전체가 물들고
미련을 털어내듯 나뭇잎 떨어진다

단풍이 위에서 아래로
열정을 품듯 짙게 물드는 것은
사랑이 있기에 그런 것이다
아래로 한없이 품어주는 사랑
그리고 아무것도 남지 않는

분꽃씨 받으며

어린아이 눈동자 같은 분꽃씨
어느 집 담장 밑에서 받아다
우리 집 담장 밑에 보석 감추듯 묻었지

봄에 흙을 뚫고 삐죽 나온 잎
마치 신라 금관이 출토된 줄 알았네

울 밑에서 금관이 자라났네
목마름 떨치고 일어났네
누런 금관이 아니라
신라 금관의 나무처럼 푸른 잎 달린 분꽃

여름내 가뭄 견디고 피어나는 분꽃들이 마치
금관에 초롱초롱 매달린 곡옥이요
연분홍 꽃들이 신라의 여인 귓불에 달린 보석이라
슬쩍 지나쳐가는 여인의 향기에
내 코끝이 홀려 여름을 잊고 지나버렸네

어느 가을 눈 시린 푸르른 날
신라의 금관 가지 끝 여기저기에
어린아이 눈동자가 나를 바라보고 있네
나는 맑은 눈동자에 이끌려
신라의 하늘 어디로 떠나가고 있었네

억새꽃

억새꽃은
소복 입은 여인이 눈물 감추듯 돌아서 있거나
단정학이 하늘 향한 그리움 춤으로 갈구하니
담백하기 퇴락한 백자의 빛깔이라
산길 돌아드는 에움길만을 골라
지나는 발자국소리에 흔들리며 피는 꽃이라네

억새꽃은
어깨 한가득 번뇌를 지고
구절양장 고개를 간신히 넘어
얼굴에 검버섯 인생의 꽃으로 여겨
마지막 해탈의 마당에서
맑게 웃던 사람이 실려 가던
상여에 가득 꽂은 하얀 종이꽃 아니런가

거름 주는 마음

봄날이면
매번 나무나 밭에 거름을 주면서

잘 자라기를 바라고
잘 익은 열매 달리기를 속심 깊이 기도하듯이

어쩌면 내 부모는 이런 마음으로 평생
사랑이라는 거름 주지 않았을까

거름 주면서
세상의 부모 마음 헤아려보네

저절로 써진 시

갈참나무 아래
그늘에 앉아

바람이 살랑 불어
가슴 부풀고

노랑 원추리꽃 찾아
날아드는 산제비나비

춤추듯 날아다니면서
꿀을 찾는데

그 옆에서 너를 바라보는 사람도
꽃에 앉아 나를 바라보는 나비도

그냥 옆에 있는 바위요
말 없는 갈참나무처럼 간섭하지 않으니

모두가 풍경 속의 아름다운 사물이라
한 편의 시가 이렇게 저절로 완성된다

가을은 고양이처럼

산에
고양이 발자국처럼
드문드문 꽃이 핀다

푸른 가을하늘에 홀려
한눈판 사이

산에
바람이 불어
어슬렁 나타나는 고양이처럼
산을 타고 내려오는
꽃사태가 발끝까지 와서
몸을 뒤집어 애교 부린다

발자국소리도 없이
몰래 내려온 고양이
털 쓰다듬어
나더러 안아 달라 하는데

내 가슴은 너를
선뜻 받아들이지 못한다

나는 아직 가슴이 따뜻한데
몰래 찾아온 것처럼
그렇게 또 몰래 가버릴 테니
이별할 준비가 되어 있지 못한 나는

어떤 그리움

스러지다 못해 흔적도 없는 계촌장
소설 「메밀꽃 필 무렵」의 문장 한 귀퉁이에나 등장하여
옛날 이곳에 오일장이 있었다고 기억되는 곳
계촌에 내려와 우연히 듣게 된 옛날이야기
박정희 시대 화전민 소개되기 전까지는
사람이 많아 장이 제법 컸었다는,
그 이후부터 사람이 떠나고
먹고살기 위하여 자식들도 도시로 또 떠나고
계촌장은 새벽별이 한눈파는 사이 사라지듯
누구의 의식 속에서도 기억되지 않는 기록으로 남았을 뿐
누구 하나 섭섭해 하거나 기다리지 않는 추억이 되었다

그런데 기억하고 그날이 되면 찾는 사람 있었다
내 계촌 거리 어쩌다 지나칠 때면
몇 번인가 마주쳤던 그 사람
강냉이와 일바지며 그 흔한 옷 몇 가지 벌여놓고
사람도 없는 거리 한구석 지키고 있는 그 사람

수고로움에 대한 보상이라고는 도저히 없을 듯한 곳에서
좌판 옆에서 졸거나 하품이나 하던 늙수그레한 사람
나중에 물어서 알았다
규칙적으로 찾아오는 그날이 계촌장이라 온다고
무얼 팔려고 오는 게 아니라 그냥 장날이라 온다고
사람들 발걸음 없어도 찾아오는 장돌뱅이
사람들이 다 잊어버린 기억의 장을 매번 와서 지키는
그는 그리운 추억을 짊어지고 떠도는 동이*가 아닌가

딸랑거리는 노새 방울소리 대신
낡은 카세트에서 흘러나오는 금속성의 노랫가락이
집으로 발길 돌리는 발뒤꿈치를 귀신처럼 붙잡는다

* 동이: 이효석의 「메밀꽃 필 무렵」에 나오는 허생원의 아들.

잔대

몇 해 전인가?
우연히 숲에서 발견한 잔대 한 뿌리 캐다가
꽃밭 한구석에 심었더니
꽃 피어 씨앗 사방에 퍼뜨려
잔대 새싹이 꽃밭 덮을 기세네

생명력 왕성하게 어디든 발아하는 잔대
내 잔대같이 거칠게 살아
세상 구석 어디든 돌아다니다가
낮은 곳에 발붙이고 살았으면

백 가지 독을 해독해준다는 잔대
내 잔대 같은 삶을 살아
세상에 만연한 해로운 독도
해독할 수 있었으면 얼마나 좋았을까

산속에 들어와 잔대 바라보다
불현듯 고개 내밀던 생각

그러나 이내 깨닫는다
아직도 나는 저 숲속의 나무 아래
풀도 따라가지 못하고 있다는 것을

| 발문 |

지극히 동양적인 물아일체, 색즉시공의 인식

— 자작나무골에는 시인이 산다

최 성 수 (시인)

눈개승마와 솟대 붓걸이

변경섭 시인을 처음 만난 날이 언제인지 딱히 선명하게 떠오르지 않는다. 봄이었는지, 아니면 여름이었는지, 혹은 가을이나 겨울이었던지 조차 기억이 나지 않는다.

아마 1990년대의 어느 날이었을 것이다. 그 무렵 나는 학교에서 해직되고 전교조 참교육실천위원회에서 일하고 있었다. 어느 날, 함께 일하던 김진경 선생이 그를 데리고 사무실에 나왔다. 물론 그 전에 새로운 간사가 함께 일하게 될 것이라는 말을 회의석상에서 듣긴 했지만, 워낙 간사도 많고 해직교사뿐만 아니라 현장 교사들도 들끓던 사무실에 새로운 사람

하나 나타나는 것은 새롭지도 않았고 놀라운 일도 아니었다.

처음 만난 그가 꾸벅 인사를 했는데, 내게는 그때 그의 웃음만 선연하게 기억이 난다. 낯선 자리에서도 스스럼없이 천진난만하게 웃던 그의 얼굴은 선하면서도 단단해 보였다.

'민족민주운동연구소'에서 『정세연구』를 내는 일을 해왔다는 그였지만, 투쟁가라기보다는 순박한 친구나 동료 같았다.

그날부터 그는 나와 함께 참교육실천위원회에서 날마다 마주치는 사이가 되었다. 특히 글을 쓰는 그는 사무실에 있던 여러 단체 중에서 내가 관여하는 <교육문예창작회>의 일도 같이 맡아보게 되었다.

일을 하면서 보니 그는 자기가 해야 될 일에 대해서는 누구보다도 철저하고 심지가 굳은 사람이었다. 늦도록 회보 편집을 하고, 자주 술잔을 기울이면서 그와 우리 사무실 식구들은 점점 가까워졌다.

그러다 해직교사 복직이 이루어지고, 우리 모두는 학교로 돌아가게 되었다. 복직이 이루어진 뒤의 조직은 해직 기간의 조직과 달라질 수밖에 없었다. 결국 그는 해직교사들이 다 복직한 사무실에 남아 해직교사들이 나누어 맡았던 일들을 다 감당하게 되고 말았다.

복직 국면의 타개책으로 우리 <교육문예창작회>는 지평을 넓혀 문학 계간지 『삶, 사회 그리고 문학』을 내게 되었는데,

계간지의 실무를 그가 모두 도맡아 하게 되고 말았다. 학교 일을 마치고 사무실에 나가보면 그는 혼자서 원고 교정을 하고, 편집을 하고, 인쇄소를 찾아다니는 모든 일을 해냈다.

밤늦은 시간 회의를 마치고 식사 겸 술잔을 기울일 때도 그는 그저 사람 좋은 웃음만 얼굴에 가득한 채 현장 교사들의 이야기를 듣곤 했다.

또 얼마간의 시간이 흘렀다. 잡지는 폐간되고, 전교조 조직이 개편되면서 회의는 줄어들고 자연히 만남의 빈도도 뜸해지게 되었다. 사무실은 축소되고, 모두 학교 현장의 일에 바빠지면서 그와의 인연도 희미해져갔다.

그와 연락이 끊어진 지 몇 해가 지났다. 그동안 전화번호도 바뀌고 학교도 여러 군데 옮겨 다니다보니 연락처도 모르는 지경이 되고 말았다.

그러다 나는 몸에 병이 깊어져 학교를 일찍 퇴직하고 고향인 강원도 산골에 내려와 얼치기 농사를 지으며 살고 있었다. 그와는 페이스북으로 그저 살아가는 소식만 듣고 있는 정도로 희미하게 연결되어 있을 뿐이었다.

그런데 정말 인연이란 묘한 것이어서, 그가 내가 사는 곳에서 멀지 않은 평창군 계촌으로 이사를 왔다는 소식을 전해왔다. 우연이었을까, 아니면 필연이었을까?

우리 집에서 그가 사는 자작나무골은 재를 하나 넘으면 되는 한 삼십여 분 거리였다. 시골에서 차로 삼십여 분이면

지척이라고 할 거리다. 나는 횡성 그는 평창이라는 행정구역으로 나뉘어 있지만, 사실 그의 근거지인 평창군 방림면 계촌리는 평창읍보다는 횡성군 안흥면이 훨씬 가까운 곳이다. 한때는 원주-횡성-안흥을 거쳐 계촌까지 가는 버스 노선이 있었고(지금은 행정구역이 다르다는 이유로 그 버스는 상안리까지만 운행한다), 계촌 할머니들은 지금도 안흥면의 한의원에서 침을 맞는다.

그는 자주 우리 집에 들러 사는 이야기를 나누곤 했다. 횡성 장에 물건을 사러 갔다가, 혹은 안흥 종묘상에 모종을 사러 나갔다가, 어떤 때는 책을 냈다며 사인을 해가지고 오기도 했다. 차를 나누어 마시기도 했고, 오래전에 담아두고 몸이 안 좋아 나는 마실 수 없는 담금주를 나누어주기도 했다. 내 다섯 번째 시집 『물골, 그 집』을 냈을 때는 내가 그의 집을 찾아 시집을 건네주고 차를 얻어 마시기도 했다.

그가 사는 자작나무골은 대미산 자락의 첩첩산중이다. 이런 곳에 마을이 있을까 싶은 가파른 산속을 거쳐 올라가면 울울창창 숲속에 그가 사는 집이 자리 잡고 있는데, 거실에서 바라보는 먼 산의 풍경에 저절로 감탄이 나오는 곳이다. 주위가 자작나무로 둘러싸인 그곳에서 그는 혼자 도를 닦는 신선처럼 사계절을 살아내고 있다.

살아내고 있는 것은, 그냥 사는 것과는 차원이 다르다. 살아낸다는 말속에는 도저한 외로움과 한없는 넉넉함이 함께 공존한다. 산속에 묻혀 살아본 사람만이 아는 그 막막하고 뿌듯한 형용 모순의 심정을 그와 비슷하게 산속에 묻혀 사는 나는 충분히 짐작하고도 남는다.

어느 날, 우리 이웃이 눈개승마 농사를 작파한다며 내게 파가라고 연락을 해왔다. 전에 만났을 때, 눈개승마를 심어보겠다는 나의 말에 그가 구하면 좀 나누어달라는 말을 했던 것이 기억나 연락을 했다. 득달같이 그가 찾아왔는데, 솟대로 만든 붓걸이를 내게 건네주며 씨익, 웃었다. 전에 그의 집에 갔을 때 만들어놓은 솟대 붓걸이를 보며 한참 만지작거렸던 내 생각이 났었나보다.

가장 이른 봄, 혹은 겨울 끝에 움을 틔우는 최고의 봄나물인 눈개승마, 소고기 맛과 두릅 맛, 인삼 맛이 섞여 있어 삼나물이라고도 부른다는 눈개승마의 이야기를 한참 나누다 그가 불쑥 꺼내놓은 것이 이번 시집의 발문을 쓰게 된 전후 사정이다. 그러니 이번 그의 시집은 눈개승마와 솟대 붓걸이와 함께 온 셈이다.

상처를 이겨내는 힘은 어디에서 오는가

어느 봄날

추억처럼 쌓였던 눈 녹고

양지바른 뜨락 한편에

수선화 새싹이 돋아

지금

곤고한 세월 돌아온 내가

언 땅 뚫고나온 너와 마주보고

살아갈 날 서로 위로한다

그래, 괜찮아

살자

—「어느 봄날 내가」, 전문

앞에서도 말했다시피 시인 변경섭이 사는 곳은 강원도 평창군 계촌리 산비탈이다. 온통 숲으로 둘러싸인 곳에서 그는 산 아래의 첩첩으로 펼쳐져 세상으로 이어진 산들을 바라보며 산다. 산속에서 산을 바라보며 사는 그의 시는 자연히 자연친화적일 수밖에 없다. 자신이 살아가고 있는 조건이야말로 시인의 가장 중요한 시적 자산이기 때문이다.

이 시는 이른 봄의 한 순간을 담아내고 있다. 강원도의 이른 봄은 다른 곳의 봄과 느낌이 다르다. 유난히 눈이 많이 오는 곳이고, 일 년의 절반쯤이 겨울이니 매서운 한파와 거센 눈발은 영영 봄이 오지 않을 것 같은 절망감 혹은 아득함을 불러온다. 때로 눈 쌓인 숲의 풍경에 감탄을 하다가도 어떻게 인간 세상으로 나갈 수 있을까, 언제쯤 눈이 녹아 길이 뚫릴까를 걱정하는 곳이 강원도 산간이다.

그래서 강원도 산골의 봄은 더 애틋하고 더 포근하다. 엊그제까지 살을 에일 것 같던 바람이 어느 날 갑자기 훈훈해지는 느낌을 어떻게 말로 그려낼 수가 있을까? 시인은 그런 어느 이른 봄날, 문득 양지바른 뜨락에서 막 돋아난 수선화 새싹을 만난다. 그 만남은 그냥 돋아난 새싹을 만나는 일이 아니다. 수선화 새싹은 시인이 겨우내 맞닥뜨렸던 거센 폭설과 매운 바람, 세상에 대한 격절감의 끝에서 만난 새 생명이고, 깊은 산골로 들어와 자리 잡기까지 시인이 겪어 와야 했던 세상살이의 간난과 신고를 다 씻어주는 극복의 기제다. 그래서 시인은 수선화를 만난 순간을 '곤고한 세월 돌아온 내가 / 언 땅을 뚫고나온 너와 마주보고'라고 노래하고 있는 것이다. 그 순간은 과거의 상처를 극복하는 깨달음의 시간이며 동시에 살아갈 미래를 꿈꾸게 하는 시간이다.

'추억처럼 쌓였던 눈'은 곧 그가 세상에서 살아왔던 '곤고한 세월'이고 '언 땅'의 시간, 상처의 시간이다. '양지바른 뜨락'과 '수선화 새싹'은 과거의 그 시간을 극복하고 살아갈 수 있는 위로의 시간이다.

이 시는 '언 땅'과 '새싹'의 대비를 통해 '위로'를 끌어올리는 치유의 시라고 할 수 있다. 그 치유의 결과가 '괜찮아'와 '살자'로 울음처럼 토해지는 것은 얼마나 절절한가!

이 시처럼 그의 시에는 상처에 대한 극복의 정서가 가득하다.

목발은
걸을 수 없는 다리
지탱해주는 고마운 존재지만
한편 무엇보다도 불편한 것이라서
언제든 팽개쳐버리고
절룩이며 걷는다 해도
두 다리로 걷고 싶었다

그러나 마음뿐
한번 꺾인 의지
다시 곧게 펴지 못하고
여전히 고목에 붙은 매미처럼

그에 의지하고 있으니

목발은 내게
애증이 교차하는 불편함의 대상
내 자유를 억압하는 물건이지만
또 어쩔 수 없이 의지하는 익숙한 존재

내 목발은 어쩌면
평생을 지탱해온 불편한 내 두 다리
인생을 이끌어온 볼품없는 내 몸처럼
보기 싫지만 보듬을 수밖에 없는 숙명

—「목발에 대한 생각」, 부분

상처를 받아들이고 그 위에서 삶의 긍정을 이루어내는 대표적인 시가 시집의 표제작인 이 작품이라고 할 수 있다.

아는 사람은 다 알다시피 그는 다리를 전다. 어렸을 때 앓았던 소아마비 때문이다.

그를 처음 만났을 때, 그는 불편한 몸으로도 성한 사람과 전혀 다름이 없었다. 온갖 궂은일을 도맡아 해낼 줄 아는 심성을 지녔고, 자기의 수고를 드러내지 않고 그저 일이 만족스러우면 싱긋 웃는 것이 전부였다. 그래서 함께 일하는 우리는 종종 그가 몸이 불편하다는 것을 잊어버리곤 했다.

오랜 세월이 지나 다시 만났을 때, 그는 목발을 짚고 있었다. 나는 한동안, 그가 원래 목발을 짚었었는지 아닌지 아리송했다. 그만큼 그의 삶이나 태도에 변화가 없었던 때문일 것이다.

우연한 사고로 절던 다리를 다쳐 아예 목발을 짚게 되었다는 이야기를 하면서도 그는 아마 싱긋 웃었던 것 같다.

이 시는 그런 그의 목발에 대한 내력을 담담하게 적어 내려가고 있다. 목발은 불편함을 상징하는 존재다. 그 불편함은 현실이다. 그래서 그는 이 시에서 목발을 숙명이고 고통이고 실재實在라고 고백한다. 그리고 고뇌라고 결론을 내리는데, 그 고뇌가 절망이 되지 않도록 붙잡고 있는 그의 생에 대한 의지가 이 시에 긍정적 에너지로 작용하고 있다.

생이란 누구에게나 고통스럽고 허망한 것이다. 그러나 때때로 '의지하고 보듬고' 가야 하는 길임을 그는 목발을 통해 그려내고 있다. 상처를 극복하고 생을 의미 있는 것으로 만드는 긍정의 힘, 그것이 그의 시의 뿌리라고 할 수 있다.

자연과 나누는 대화

시인은 대상을 자기화하는 사람이다. 대상을 자기화한다는 것은 대상에게 동질감을 느끼고, 대상의 아픔과 상처를 보듬어 안으면서 그것을 자신의 것으로 받아들이는 일이다. 그래서 학문적으로는 세계를 자아화하는 것이 시라고 정의하기도 한다.

변경섭의 이번 시집은 그가 산촌으로 삶의 근거지를 바꾸면서 만나는 온갖 자연물들과의 만남을 담아내고 있다. 시인의 말에서 그는 '간절히 원하고 진심으로 공감하면 자세히 보인다. 나무와 풀과 새가 내 마음속으로 들어온다.'고 고백하고 있다. 어쩌면 이 시집은 그가 산속 마을에 깃들어 살면서 만난 나무와 풀과 새에 대한 헌사라고 할 수 있다.

> 상수리나무 아래 가만히 앉아
> 상수리 툭, 풀섶을 울리는 소리에
> 나도 그 속에 하나임을
> 문득 깨닫는다
>
> —「상수리 툭, 하고 떨어지면」, 부분

> 봄 여름 가을 겨울 새 소리
> 들리는 음색이 다르고
>
> 아침, 저녁으로 우는 새 소리
> 웃다가 울다가 노래하기도 하고
>
> —「새 소리 들으며」, 부분

> 봄밤에
> 자작나무 아래

푸르러가는 이끼의 생이
다시 시작되는 것

봄밤에
이끼 낀 대지 위를
힘겹게 기어가는 달팽이처럼
고단하고 슬픈 내 생과
별빛이 만나는 것

—「봄밤에」, 부분

시인은 아직 채 가을이 오지 않은 숲에서 상수리 툭 하고 떨어지는 소리를 들으며 가을이 머지않았음을 깨닫는다. 일엽지추一葉知秋야말로 시인의 예지력이고 혜안이라고 할 수 있다. 시인은 숲에 울리는 소리 하나로 계절의 섭리를 깨닫고 있는 것이다.

사계절 들려오는 새소리와 아침, 저녁의 새소리가 다름을 깨닫는 것은 시인이 이제 자연의 일부가 되어 있기 때문이다. 새 소리는 늘 변함없지만 시인의 감정에 따라 달리 들린다는 깨달음으로 이르는 것은 자연에 살아본 사람이 아니고는 알 수 없는 일이다.

그리하여 시인은 마침내 자작나무 아래에서 한 5억 년 전쯤에 출발한 별빛을 마주하며, 5억 년의 시간과 이제 막

푸르러지기 시작한 이끼의 생을 생각하며, 이끼 낀 대지 위를 힘겹게 기어가는 달팽이처럼 고단하고 슬픈 자신의 생을 돌아보게 된다. 무한이라고 여겨질 5억 년의 시간과 유한한 시인의 생이 이끼와 달팽이로 대비되면서, 슬픔은 극대화된다. 그러나 극대화가 절망적이지 않은 것은 계산할 수 없는 별빛의 시간 때문이다. 계산은 상상 가능한 속에서만 덧없기도 하고 아득하기도 한 것이다. 이미 상상을 지나버린 시간과 공간에서는 극대화조차도 의미가 없는 것인지 모른다. 그러니 고단하고 슬프다는 범상한 말로 모든 것은 다 수렴되는 것이다. 아득하면서 절망적이지는 않은, 덧없으면서도 퇴폐적이지 않은. 그래서 넉넉하고 덤덤한 달관의 경지다.

그의 시는 그래서 자연과 사물을 통해 늘 자기 자신을 돌아보는 미덕을 지니게 된다.

길 가다
둥글고 의젓한 돌
앉아 있기에 욕심부려
모셔왔다

마당 옆
물박달나무 아래 의연히 앉아
그 자리에서도 언제나

무심하다

비 맞고
눈보라 쳐도
아무 말 없이 몸에서 푸른 이끼
돋아난다

말 없는 돌이
말 많은 나의 허기를
채운다

침묵이 밥일 때가 있다

—「돌」, 전문

길을 가다 마음에 와닿는 돌이 있어 일부러 가져온 것은 욕심 혹은 욕망이다. 욕심 혹은 욕망은 세속의 감정이다. 누구나 가지고 있는 보편적인 감정이기도 하다. 여기까지는 시인의 시선이 아니라 일반인의 시선인 셈이다.

시인은 그 돌을 마당 옆의 물박달나무 아래에 놓아둔다. 물박달나무는 자작나무과의 낙엽 교목이다. 사계절의 변화에 따라 다양한 모습을 보여주는 기품 있는 나무다. 연초록의 잎에서 한여름 짙은 초록, 가을의 단풍까지 물박달나무는 변화무쌍하지만, 제 수형과 묵묵함으로 불변의 모습을 지켜내고 있는 나무라고 할 수 있다. 시인이 주워온 돌을 하필 물박달나무 아래 둔 것도 변화와 불변의 두 상호 반대적인 심상을 상징적으로 보여주기 위함이다.

돌은 불변의 존재다. 물박달나무는 변화의 존재다. 그런데 물박달나무 아래 돌이 놓여 있음으로 해서 이 둘은 새로운 존재로 태어난다. 돌의 몸에서는 푸른 이끼가 돋아난다. 움직임이 없는 돌이 생명을 지닌 존재로 바뀌게 되는 것이다. 물박달나무는 사계절에 따라 모습을 바꾸지만, 역시 묵묵히 돌에게 그늘이 되어주며 서 있다. 변화하면서 변화하지 않는 존재다. 돌과 물박달나무는 같은 자리에 있음으로써 서로 닮아가게 된다. 움직임이 없으면서 있고, 있으면서 없다. 침묵하면서 아주 입을 닫지는 않고, 입을 막지는 않으면서 묵묵하다. 색과 공이 다르지 않은 세계가 이 둘이 같은 자리에 있음으로써 새로 탄생되는 셈이다.

여기에서 끝났으면 그냥 두 존재에 대한 서술일 뿐이 되고 만다. 그러나 시인은 이 두 존재, 특히 돌이라는 존재에 자신의 마음을 기댈 줄 안다. 말 없는 돌을 통해 자신의 말 많았던 삶에 대한 자기반성과 가르침을 얻는다. 그 반성의 결론은 '침묵이 밥일 때가 있다'는 것이다. 밥은 허기를 가시게 해준다. 침묵으로 밥을 삼을 줄 아는 시인의 심성은 사물과 자신의 일체감, 자연과 시인이 둘이 아니고 하나라는 인식을 보여준다. 지극히 동양적인 물아일체, 색즉시공의 인식이야말로 이번 시집에서 변경섭 시인이 보여주는 세계관이다.

시로 쓴 자연 생태 도감

강희안姜希顔은 조선 전기의 학자이고 문신이었다. 그는 시와 글씨, 그림 등 예술 방면에 다재다능한 사람이었는데, 특히 그가 그린 <고매한 선비가 물을 바라보다高士觀水圖>는 조선 전기의 대표적인 그림이다. 천 길 낭떠러지의 벼랑 중간쯤 평평한 너럭바위가 있다. 넝쿨은 절벽을 타고 너럭바위 위로 치렁치렁 내려와 있는데, 한 선비가 엎드려 팔을 괴고 아래의 물을 바라보고 있다. 더없이 편안하고 넉넉한 선비의 자세, 그 당시의 그림들과 다르게 선비라는 인물에 집중되어 있다. 대부분의 산수화가 원경으로 자연의 풍경을 그리고 있다면, <고매한 선비가 물을 바라보다>는 풍경보다 인물에 집중해 있다. 전체보다는 세부에 집중하고 있는 화가의 의도가 드러난 작품이다.

강희안은 비교적 평탄한 삶을 살았고, 벼슬길도 순탄했다. 그래서일까? 그는 전체보다는 디테일에 강한 사람이었던 것으로 보인다.

나는 그의 그림보다 그가 쓴 '꽃 기르는 법養花小錄'을 더 좋아하는데, 전체보다 세부에 집중하는 그의 심성이 잘 드러나 있어서다. 그는 이 책에서 꽃과 나무와 돌 등 자연물을 망라해서 그 자연물의 성향과 의미, 그리고 기르는 법 등을 세세하게 기록해놓았다. 아마 우리나라 근대 이전으로는 유일하게 전해지는 꽃 관련 책이라고 할 수 있다.

변경섭 시인의 이번 시집을 읽으며 나는 자주 강희안을 떠올렸다. 처지와 삶은 다르지만, 디테일에 집중하여 사물의 존재 의미를 자신의 것으로 만드는 미적 형상화가 일맥상통하기 때문일 것이다.

아무렇게나 뒤져보아도 이번 변경섭의 시집에는 방대하고 무수한 자연물들이 등장한다. 가히 시로 쓴 『양화소록』이라고 할만하다.

시를 읽는 동안 쇠딱따구리가 '경쾌하게 문 두드리는' 소리가 들리기도 하고(「쇠딱따구리」), 하늘에서 울리는 '까마귀 울음소리'에 정신을 차리기도 한다. 「개미와 진딧물과 나」를 읽다가 문득 마당가로 나가 내 마당의 아직 꽃 피지 않은 원추리에는 아직 진딧물이 오지 않았다는 것을 확인하고, 꼼지락거리는 개미들만 바라보다 다시 들어온다. 그처럼 나도 산맥의 속살을 보고 싶어(「산맥을 바라보며」) 갑자기 허위허위 뒷산을 오르기도 했다.

그의 이번 시집에 등장하는 자연물을 나는 일일이 적어보기도 했다. 그의 관심은 그가 산촌 생활을 하면서 만난 모든 자연에 닿아 있었다. 갈가마귀나 쇠딱따구리, 매 같은 새 종류와, 상수리나무, 가래나무, 갈참나무, 고광나무 등의 나무들, 괭이밥을 비롯한 온갖 풀들, 심지어 뱀이나 노린재, 구름송편버섯에서 눈과 안개 · 바람 · 돌 · 산맥들까지 모두 그의 시 속에서 살아 숨 쉬고 있다.

이렇게 다양한 자연물과 환경을 소재로 삼아 한 권의 시집을 완성한 경우가 결코 흔한 것은 아니리라. 그의 이런 결과물은 그가 자연에서 얻은 상상력을 바탕으로 시를 창작하고 있다는 것을 보여주는 증거다.

그가 만난 자연은 그냥 객관적으로 존재하는 자연이 아니다. 그는 끊임없이 그 자연물과 교감하고, 자기를 돌아보고, 삶의 에너지로 재탄생시키고 있다. 그래서 대부분의 시들이 소재에 대한 서술로부터 시작하여 자신의 심정과 느낌을 담아내는 것으로 마무리된다.

우리 고전 작품의 큰 경향 중 하나가 자연과 자신을 하나로 여기는, 즉 물아일체物我一體의 경지다. 그의 시는 바로 이런 우리 시가의 전통을 이어받으면서 현대화하고 있다고 할 수 있다.

뜰 앞에 커다란 갈참나무

내리쏘는 햇살에 푸른 방패 펼쳐
기세등등하게 맞서더니

그깟 가을비에 시르죽어
떨어지는 낙엽에 빗물이 흘러내려
마치 핏빛처럼 땅바닥을 적신다

그래도 다 보내기 아쉬운가
마지막 잎 달고
끝끝내 망설이고 있다

마지막이라는 말
어느 겨울 새벽 마당에 눈 쓸다 돌아가신 아버지
마지막이 더는 말을 나눌 수 없다는 의미란 것을
그때 알았다

나무 아래 무수히 포개 앉은 갈참나무 잎들
마지막 잎새가 내려앉길 기다린다

마지막은 끝이 아니라
이생에서 못다 한 말을 다른 세상에서 만나
말할 수 있기를 기다리는 순간
새로운 시작일지 모른다

—「마지막이라는 말」, 전문

가을비 내리는 날 시인은 창가에 앉아 뜰의 갈참나무를 바라보고 있다. 이미 가을이 깊어 갈참나무는 제 잎을 다 떨구고 마지막 한두 잎만 빗줄기에 떨고 있다. 시인은 앙상한 나뭇가지를 바라보며 방패처럼 단단하고 푸르던 갈참나무의 절정을 생각하고 있다.

시인의 상상이 다시 현실로 돌아오면 눈앞에는 마지막 잎을 매단 앙상한 갈참나무가 서 있다. 마지막 남은 잎은 다시 시인의 상상을 먼 곳으로 끌고 간다. 어느 겨울날 새벽, 마당의 눈을 쓸다 돌아가신 아버지에 대한 기억이 갈참나무의 마지막 잎에서 떠오른다. 시인의 상상은 여기서 한 걸음 더 뛰어넘는다. 아버지에 대한 기억에서 마지막이라는 말의 보편적인 의미를 찾아낸다. 그가 찾아낸 마지막의 의미는 말을 나눌 수 없다는 것이다. 여기에서 시인은 다시 한걸음 내딛는다. 이미 떨어진 갈참나무 잎들이 마지막으로 떨어질 잎을 기다린다는 것, 지상에서 다시 만나 잎들이 대화를 나눈다는 것, 그러니 마지막은 끝이 아니라 시작이고 말 없음을 넘어 말이 다시 탄생하는 것이라는 깨달음이다.

'갈참나무의 마지막 잎–절정에 대한 기억–아버지의 죽음 회상–나뭇잎들의 기다림–끝이 아니라 시작인 마지막'으로 시인의 상상력이 변화하고 발전하면서 존재의 의미를 깨달아 가는 과정이 이 작품이다. 그 과정 속에서 갈참나무는 곧 시인 자신이다. 갈참나무와 시인이 하나가 되는 물아일체의

지경, 그러나 단지 강호가도江湖歌道를 즐기는 방관자의 시선이 아니라 자연물 그 자체가 되어 존재의 의미를 찾아내는 것이야말로 변경섭 시인이 가진 특질이고 강점이라고 할 수 있다.

그는 오늘도 평창의 산골마을에 깃들어 있다. 그의 집 주위에는 사철 수많은 존재들이 태어나고 자라고 죽고 있다. 그가 귀촌한 이후 일구어낸 이 시집의 결과물을 넘어 또 어떤 존재와 마주치며 산촌의 사계절을 다음 시집으로 엮어낼까, 그리하여 다음에 그가 우리 앞에 펼쳐놓을 또 다른 자연도감은 어떤 모습일까를 기대하게 한다. 삶이 언제나 미완성이듯이 자연도 시도 그렇다. 또 다른 완성을 향해갈 그의 시 세계를 함께 꿈꾸어보는 행복이 이 시집 속에 담겨 있다.

유난히 꽃들이 섞여 피고, 봄 같지 않은 봄이 길더니 순식간에 무더위가 찾아오고 또 갑자기 쌀쌀하다. 변화무쌍한 날씨의 이변 속에서도 그의 거처에는 고광나무꽃 지면 함박꽃 피고, 함박꽃 지면 마타리가 고개 들 것이다. 그와 함께 가까운 공간에서 시를 나누어 읽는 일이 얼마나 감사한가를 깨닫는다. 마지막이 아니라 늘 '새로운 시작'인 그의 시를 읽다 고개 들어 바라보는 하늘은 오늘따라 유난히 푸르다.

목발에 대한 생각

초판 1쇄 발행 2020년 8월 5일

지은이 변경섭
펴낸이 조기조
펴낸곳 도서출판 b

등록 2003년 2월 24일 제2006-000054호
주소 08772 서울시 관악구 난곡로 288 남진빌딩 302호
전화 02-6293-7070(대) 팩시밀리 02-6293-8080
홈페이지 b-book.co.kr 이메일 bbooks@naver.com

ISBN 979-11-87036-99-9 03810
값_10,000원

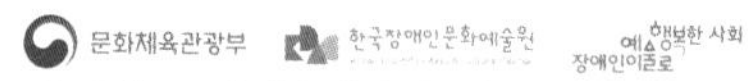

* 이 책은 문화체육관광부, 한국장애인문화예술원의 후원으로 제작되었습니다.